Colección libros para soñar
Dirigida por Xoán Couto y Xosé Ballesteros

©del texto: Xosé Mª Álvarez Cáccamo, 1.999
©de las ilustraciones: Mª Xosé Fernández, 1.999
©de esta edición: Kalandraka Editora, 1.999

Campiño de Santa María 5, 36002 Pontevedra - Telefax: 986 86 02 76
E-mail: kalandraka@oninet.es   http: www.kalandraka.com

KALANDRAKA
EDITORA

Primera edición: febrero, 1.999
Depósito Legal: Po-52/99
I.S.B.N.: 84.95123.36.3
Preimpresión: Publito
Impresión: Tilgráfica
Diseño gráfico: Macu Fontarigo

A CAZAR PALABRAS

Texto de Pepe Cáccamo
Ilustraciones de Mª Xosé Fernández

Aquel niño tenía cien palabras
envueltas en papel de celofán.

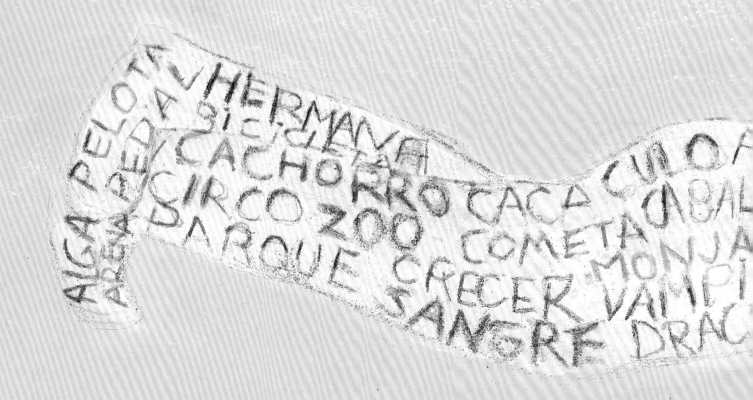

Una tarde de invierno perdió cinco:

piedra
cama
naranja
luna
pan

Como están muy cansadas las palabras,
las cinco al suelo van.

La piedra duerme cómoda en su cama
de paja y de azafrán.

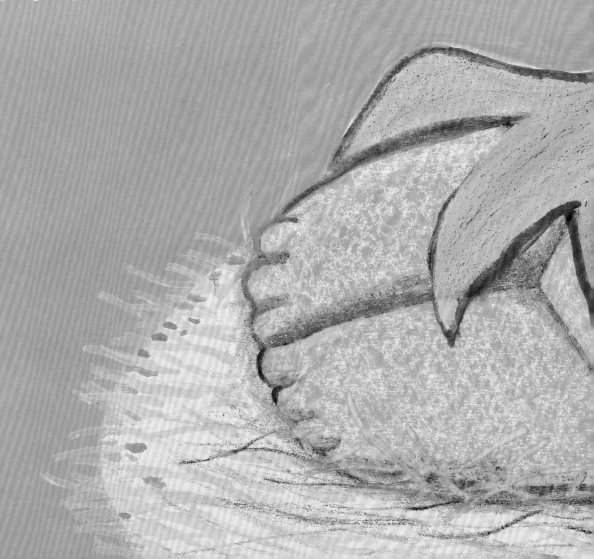

Las naranjas soñaban en la alfombra

un sol como un imán.

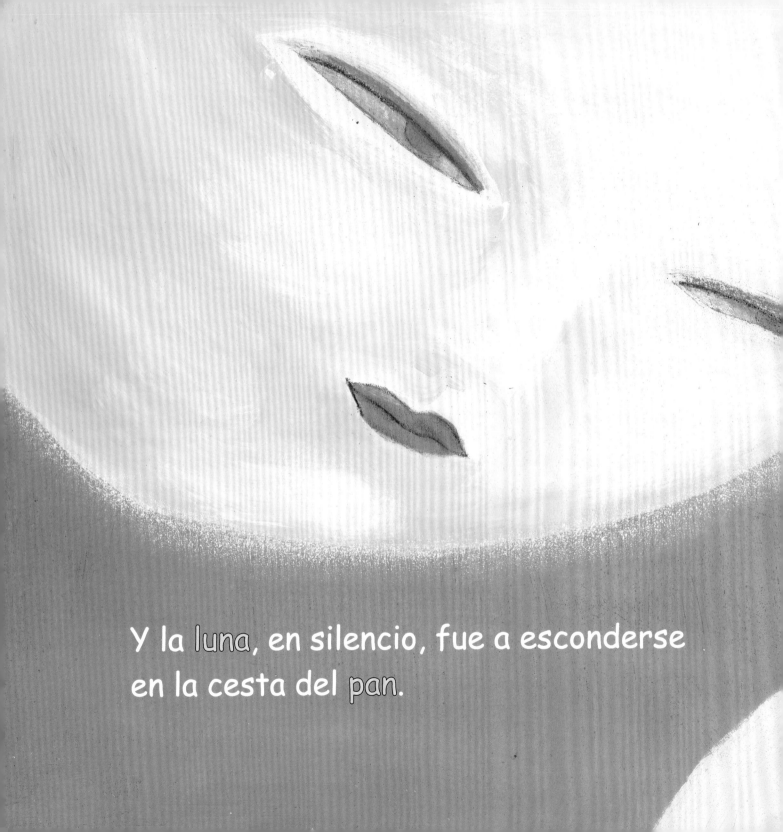

Y la luna, en silencio, fue a esconderse en la cesta del pan.

La piedra en la cama,
la luna y el pan,
y siete naranjas

¿cómo soñarán?

piedra

cama

naranja

luna

pan

El niño, disgustado, preguntaba:
¿Dónde están las palabras?

¿Quién las ve?

Las buscó por debajo del armario
con un espejo fiel.

Cuando caen al espejo las palabras,
¿qué hacen?, ¿lo sabéis?

Temblequean y hierven como peces
prendidos en la red.

Cuando el niño miró
al fondo del espejo,
¿sabéis qué vio? Veréis:

Las cinco palabras vueltas al revés
y con la cabeza
donde están los pies.

Y tiró una drapie allá a lo lejos
y se metió en la maca de azafrán.

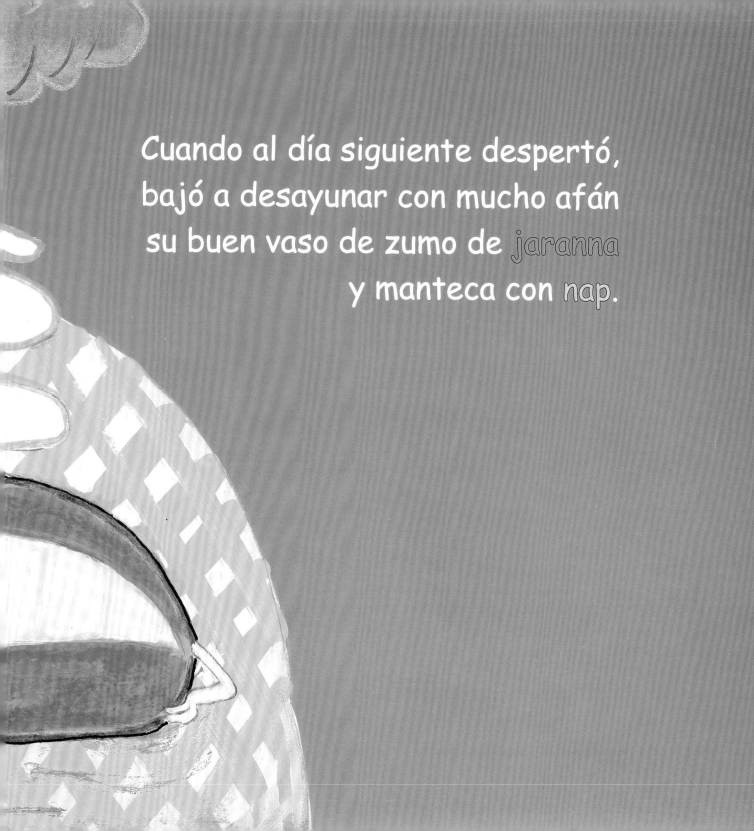

Cuando al día siguiente despertó,
bajó a desayunar con mucho afán
su buen vaso de zumo de *jaranna*
y manteca con nap.

En el cielo brillaba muy feliz
una nula redonda como un flan.

drapie cama **jaranna** luna nap

piedra maca **naranja** nula pan